KENNETH COPELAND

LA BENDICIÓN DEL SEÑOR

ENRIQUECE
Y NO AÑADE
TRISTEZA
CON ELLA
PROVERBIOS 10:22

GUÍA DE ESTUDIO

A menos que se indique lo contrario, las citas bíblicas fueron tomadas de la versión *Reina Valera 1960.*

Las citas marcadas con las siglas *AMP* son traducciones libres de *The Amplified Bible*.

LA BENDICIÓN del Señor enriquece y no añade tristeza con ella
Proverbios 10:22
Guía de estudio
THE BLESSING of the LORD Makes Rich and He Adds No Sorrow With It
Proverbs 10:22
Study Guide

ISBN 978-1-60463-179-1 30-0073S

16 15 14 13 12 11 6 5 4 3 2 1

Traducido y editado por KCM Guatemala

Kenneth Copeland Publications
Fort Worth, TX 76192-0001

Para obtener más información acerca de los Ministerios Kenneth Copeland, llame al 800–600–7395 o visítenos en nuestra página web www.kcm.org.

Introducción

Esta guía de estudio se presenta como un documento adjunto del libro: *LA BENDICIÓN del Señor enriquece y no añade tristeza con ella.* Y está diseñada para que los pastores, los grupos de iglesias, las familias y las personas individuales tengan la oportunidad de profundizar en el estudio de LA BENDICIÓN.

Presentado en un sencillo formato de capítulo por capítulo, este práctico recurso lo guiará en su lectura del libro de LA BENDICIÓN, utilizando sencillas preguntas de reflexión y estudio; a fin de que medite en ellas y las responda. Al final de cada capítulo se incluye un espacio en blanco para que escriba notas, las nuevas decisiones que tomará y el beneficio que le ha traído en su crecimiento personal. Al final de esta guía, también se le proporciona un espacio para que pueda escribir sus propias confesiones de fe; y además, el listado de respuestas.

El libro *LA BENDICIÓN del Señor enriquece y no añade tristeza con ella*, considerado por el hermano Copeland como el más importante que ha escrito, abarca todo lo que él ha aprendido acerca de LA BENDICIÓN de Dios en sus más de 43 años de ministerio. Él anhela que esta guía de estudio sirva como un recurso para que la Iglesia pueda obtener el pleno conocimiento de LA BENDICIÓN, y que ésta se levante tomando su lugar como la poderosa fuerza de la fe de Dios y actúe sobre la Tierra.

Aquí, en los Ministerios Kenneth Copeland, unimos nuestra fe con la suya para que la promesa de Efesios 3:20 se manifieste en su vida, a fin de que sea bendecido más allá de todo lo que pueda pedir e imaginar conforme al poder que obra en usted.

LA BENDICIÓN: El regalo supremo del amor

1. ¿En qué año y en qué lugar, el hermano Copeland estuvo por primera vez viviendo en la perfecta voluntad de Dios? ____________________

2. ¿Cuál fue el versículo que envió impactantes olas al espíritu del hermano Copeland? ________________

"¡Yo soy la simiente de Abraham! Soy el producto de un juramento de sangre, de un pacto entre Dios y Su primogénito. ¡El SEÑOR Jesucristo es mi hermano de sangre!"

3. Aunque Dios ya se ha revelado a Sí mismo a nosotros por medio de Su Palabra, existen __________ __________ que todavía no hemos aprendido y ___________ ___________ que aún no hemos recibido. Recuerde que en la Biblia se nos enseña: *«... por fe y para fe...»* y *«...de gloria en gloria...»* (Romanos 1:17; 2 Corintios 3:18).

4. La BENDICIÓN que Dios declaró sobre Adán y Eva en el huerto de Edén, estableció cuál era Su voluntad para toda la humanidad. ¿Cuál es esa BENDICIÓN y cuál es la referencia bíblica?

____

____

____

____

Por medio de esa BENDICIÓN, Dios le confirió a la raza humana todo lo que pudiera necesitar para convertirse en todo aquello para lo cual Él la creó; y para que realizara todo aquello para lo cual Él la destinó.

Preguntas de reflexión y estudio:

¿Qué decisión lo insta a tomar este capítulo?

____

____

____

____

____

¿En qué le beneficia y qué cambios trae para su futuro y para su ministerio todo lo que ha aprendido?

____

____

____

____

____

Enumere algunas de los disposiciones que realizará en base a todo lo que acaba de aprender.

a. ____

____

____

b. ____

____

____

c. ____

____

____

Lo único que el pecado no pudo cambiar

1. Sin lugar a duda, el pecado sí cambió algunas cosas; no obstante, éste no cambió a _______________. Uno de los fundamentos básicos de la naturaleza de Dios es que Él es el mismo ayer, hoy y siempre. En Santiago 1:17, a Él se le llama: «*...Padre de las luces, en el cual no hay mudanza, ni sombra de variación*».

2. La mejor forma en que podemos entender Su voluntad para la humanidad es leyendo de nuevo lo primero que Él declaró al respecto. El método más seguro para encontrar hoy en día Su plan para nosotros recordando Su __________ __________, el cual se encuentra en ___________. Estos conocidos versículos representan más que una historia bíblica. Éstos crean el marco de todo lo que nosotros, como creyentes, alguna vez necesitemos saber. Nos dan el primer vistazo del propósito de Dios y de Su plan para nuestra vida.

3. Nosotros como cristianos, sabemos que el verdadero Dios es el que se menciona en la Biblia. El Dios descrito en Génesis 1:1, es el Único, Eterno, Dios trino —el Dios y Padre de nuestro Señor Jesucristo (Efesios 1:3)—. Pero incluso esos títulos, aunque son correctos, no logran identificar por completo quién es Dios. En la Biblia se describe a Dios de una forma muy profunda y detallada desde Génesis hasta Apocalipsis; sin embargo, puede resumirse en tres impresionantes, pero sencillas palabras en el Nuevo Testamento: ________ _____ ________, y éstas se encuentran en ____________.

4. En el Antiguo Testamento se realiza la misma declaración. En éste se nos enseña que Dios está ________ _____ __________, y lo encontramos en ________________.

5. Si en la Biblia se habla en serio (¡lo cual es así!), entonces la luz es más que sólo una cualidad de Dios. Ésta es quien Él es. Es Su misma naturaleza. Así como Dios es Amor, también es __________. Tanto en el Antiguo como en el Nuevo Testamento, se nos confirma este hecho al describir la apariencia de Dios usando los siguientes términos: fuego, rayo u otra forma de luz.

6. En lugar de formarlo de un diseño original, Dios se utilizó a ____ __________ como patrón (Génesis 2:26-27). Cuando Dios creó al hombre, en realidad sacó una copia de ____ _________.

7. Desde antes de la "Creación", Dios ha visto a cada creyente nacido de nuevo como alguien hecho ____________ a Su ____________; y hoy en día, Él todavía nos ve de esa manera.

8. A través de los siglos, Dios ha mantenido la misma __________ _________ que ha tenido de nosotros en Su corazón, desde el principio. Dios lo hizo igual que en Génesis 1:3 cuando expresó: *«Sea la luz...»*; Él dijo: *«Hagamos al hombre a nuestra imagen, conforme a nuestra semejanza; y señoree…»* (Génesis 1:26).

9. Como un espíritu viviente que podía hablar como Dios, el hombre tenía el mismo poder que Dios poseía para crear. Él estaba lleno de Su fe y tenía la autoridad para expresar palabras creativas y compasivas; y también para ejercer ____________ con éstas. Nacido de la PALABRA de Dios y creado a Su semejanza exacta, el hombre era ____________ al igual que Dios es ___________. La única distinción entre el hombre y Dios era la siguiente: A diferencia de Dios, quien es eternamente soberano e independiente, el hombre era ____________ de Él. En todo lo demás, Dios y el hombre eran iguales, al punto que cuando los ángeles los vieron juntos por primera vez, debieron haber pensado que estaban viendo ____________.

10. Adán era el __________ y la ____________ de Dios mismo. No sólo se parecía un **poco** a Dios, sino era **exactamente** como Él. No contenía sólo una parte de Dios, sino todo lo que Dios es. Él estaba lleno del Señor.

11. Aquellas palabras de ____________ marcaron la coronación de la humanidad. Éstas fueron las primeras palabras que Adán escuchó (Génesis 1:28).

Preguntas de reflexión y estudio:

¿Qué decisión lo insta a tomar este capítulo?

____

____

____

____

____

¿En qué le beneficia y qué cambios trae para su futuro y para su ministerio todo lo que ha aprendido?

____

____

____

____

____

Enumere algunas de los disposiciones que realizará en base a todo lo que acaba de aprender.

a. ____

____

____

b. ____

____

____

c. ____

____

____

El proyecto Edén: Llenando la Tierra con la gloria de Dios

1. El significado de la palabra ____________ ha sido tan devaluado que la mayoría de personas ya no le prestan atención. A pesar de que ésta representa el concepto más importante en la Biblia, y revela la voluntad de Dios para toda la humanidad.

2. La palabra ______________ en realidad tiene una identidad definida y clara. Su primer significado bíblico se refiere a expresar algo bueno. En Hebreos, una **bendición** es exactamente lo opuesto a una ______________, la cual significa declarar algo malo. Los judíos quienes fueron los primeros en leer la Biblia, comprendieron a plenitud esas definiciones. Ellos nunca confundieron las bendiciones con las maldiciones. Sabían que si algo era bueno, provenía de la BENDICIÓN. Si era malo, provenía de la maldición.

3. La definición hebrea del término ____________ nos brinda una prueba más clara de que una bendición en realidad es algo positivo. Ésta incluye: "Acertado, agradable, agradar, alegrar, alegre, alegría, amigablemente, benéfica, beneficio, benevolencia, benigno, bien, bienestar". Sin embargo, existe otro significado de la palabra **bendición**, el cual es aún más emocionante. Es una definición que se activa cuando ____________ se involucra.

4. Cuando es Él quien habla, una bendición no se define sólo como una buena declaración sobre alguien, sino como **una declaración que** ____ ________ ___ __________ ___ __________. Gracias a que las palabras de Dios conllevan un ____________ ____________ (como se lee en todo capítulo uno de Génesis) Su BENDICIÓN hace más que expresar un sentimiento positivo. Ésta libera el poder para producir que la bendición se manifieste. Por esa razón, LA BENDICIÓN que Dios declaró sobre la humanidad en Génesis 1:28, es muy importante. Pues esa declaración **invistió de poder** a las personas para prosperar.

5. En Hebreos, la frase **fructificad** y **multiplicad** significa: "Llevar fruto y ____________ en cualquier aspecto". _______ ___ ______ significa: "llenarla, abastecerla, armarla, colmarla". Cuando Dios declaró

esas palabras, le confirió a la humanidad el poder divino para crecer y sobresalir en todo lo bueno. Les otorgó la autoridad para llenar la Tierra con esa ____________.

6. A través de LA BENDICIÓN, Él manifestó: "¡Prosperen y llenen el planeta con Mi gloria! Terminen lo que Yo ____________. Llenen este lugar de Mí. Llénenlo con compasión, con amor y vida, con fe y santidad, y ¡con todo lo bueno!".

7. Dios pudo haber completado el trabajo por Sí mismo. Pudo haber convertido el planeta entero en un huerto de Edén en una hora; sin embargo, tenía algo más en mente. Él deseaba que fuera un "____________ ____________"—ver a Sus hijos e hijas convertirse en Sus cocreadores, y así terminar el planeta—. Por tanto, les otorgó el huerto de Edén como un proyecto piloto para comenzar. El plan de Dios para ellos consistía en expandir ese huerto hasta que la Tierra llegara a ser el huerto modelo del universo. Una vez terminado el trabajo en la Tierra, podían ir a trabajar a los demás planetas.

8. Jesús no dejó duda alguna con respecto a ____________ de la humanidad sobre la Tierra.

9. A fin de ver la importancia de ser equipado para dominar, consideremos cuánta autoridad le otorgó Jesús a Sus discípulos después de Su muerte y de Su resurrección. Él realizó este proceso en dos partes. Primero, les encomendó la ____________ ____________ y les indicó qué hacer. Luego, los equipó y les otorgó autoridad por medio del poder del ____________ ____________ (Mateo 28:18-20). Él les aseguró: *«Pero recibiréis poder, cuando haya venido sobre vosotros...»* (Hechos 1:8).

10. LA BENDICIÓN era el mandato divino de Adán. Ésta le concedió tanto la ____________ como los ____________ para llenar la Tierra con la bondad de Dios. LA BENDICIÓN hace lo mismo por nosotros.

11. El hermano Copeland aprendió que para actuar en ______________, sólo debe confesar ____________. Háblele a las cosas lo que Dios declara con respecto a éstas. Luego continúe con su vida y manténgase a la expectativa de que tales cosas se cumplirán.

12. Dios descansó —no porque estuviera cansado, sino porque había terminado—. Él había completado Su obra en el universo, se derramó a Sí mismo sobre la humanidad, la coronó con Su poder creativo y le entregó la autoridad total sobre la ____________. Para Él no había nada más que hacer.

Preguntas de reflexión y estudio:

¿Qué decisión lo insta a tomar este capítulo?

¿En qué le beneficia y qué cambios trae para su futuro y para su ministerio todo lo que ha aprendido?

Enumere algunas de los disposiciones que realizará en base a todo lo que acaba de aprender.

a.

b.

c.

El día que la luz se apagó

1. El Señor le habló al hermano Copeland en su interior con voz audible, y le expresó: *Kenneth, si no hubiera sido por el ____________, nunca habría tenido un pensamiento serio.* Esa afirmación lo impactó. Esto contradecía tanto el concepto tradicional que él tenía de Dios, al punto que no estaba seguro si debía creerlo. Pero mientras más pensaba él al respecto, más sentido cobraba. Se dio cuenta que de acuerdo con lo escrito en la Biblia, el cielo es el lugar en donde la voluntad de Dios se lleva a cabo. Y ahí, no hay nada por lo que se deba tomar seriedad. En el cielo no hay amargura, ni dolor, ni peligro ni muerte. En un lugar como ése, usted puede divertirse todo el tiempo.

2. El mandato de Dios escrito en Génesis 2:17, ha sido malentendido. Sin embargo, sucedió, Eva tenía la idea de que ni siquiera debía tocar el árbol. Pero eso no era verdad. Dios les había ordenado que lo ____________ y lo ____________ como al resto de los árboles en el huerto.

3. En lugar de mantenerse alejados del árbol, ellos debían haberle prestado más atención. Se hubieran comprometido de manera especial a cuidarlo, pues le pertenecía a Dios. Éste representaba la paternidad y la supremacía de Dios sobre la humanidad. Por esa razón, Dios lo colocó en el centro del huerto: pues se suponía que la ____________ con Él debía ser el centro de la vida de ellos.

4. La intención del Señor era que Su árbol fuera un lugar donde Él y Su familia pudieran convivir entre sí. Él deseaba que Adán y su esposa, y con el tiempo, sus hijos y sus nietos, cosecharan el fruto de éste y se lo ofrecieran como un acto de obediencia y una confirmación de su amor hacia Él. Dios quería que disfrutaran devolviéndole el ____________ de Su árbol, y que celebraran el hecho de que Él era en esa época, y también lo es ahora, la ____________ de LA BENDICIÓN que estaba sobre ellos.

5. Si se pregunta cómo lo sabe el hermano Copeland, él lo descubrió leyendo el resto del Libro y estudiando lo que en la Biblia se nos enseña acerca del ____________. Es decir, la práctica de llevarle a Dios las ________________ que le corresponden a Él.

6. A través de la historia bíblica, el pueblo de Dios se ha acercado a Él y se ha conectado con Su pacto de BENDICIÓN, por medio del diezmo. Por ese motivo, en Génesis 4 leemos que Abel le entregó a Dios el primogénito de su rebaño. Aunque Abel vivió miles de años antes que se diera la ley, aprendió a diezmar. ¿Quién le enseñó? Sólo existe una posible respuesta: su padre: ______________.

7. Entonces, ¿dónde se originó el diezmo? ___ ___ ________ ___ _______

8. Adán debía golpearlo contra el árbol del conocimiento del bien y del mal, y expresarle: "¿Ves ese árbol? Le pertenece a Dios. Adán debía reírse en su cara cuando éste les aseguró que Dios no deseaba que ellos fueran como Él. Debía decirle: "Escucha, ¡ya somos semejantes a Dios! ¿Acaso no te has enterado? Él nos creó conforme a ____ __________.

9. ¿Cuál pudo haber sido la solución al pecado de Adán? Pudo haberse ___________ y asumir la ___________ de lo que había sucedido. Sin embargo, no lo hizo. Cuando Dios lo buscó en el huerto, en lugar de correr hacia Él y confesarle su pecado se atemorizó y se escondió detrás de los arbustos y trató de cubrir su ___________.

10. Todo el mensaje que se encuentra en la Biblia se enfoca en el amor que Dios todavía tiene por Adán y a Eva, incluso después de haber caído —así como ha ___________ al mundo desde entonces—. Él los amó tanto que estuvo dispuesto a ___________ a Sí mismo para salvarlos de esa mortal trampa espiritual en la que habían caído. Su inmediata respuesta no fue ___________ a la humanidad por lo que habían hecho, sino ___________.

11. Dios no desató la maldición, sino Adán cuando le entregó a Satanás LA BENDICIÓN. LA BENDICIÓN se convirtió en lo ___________ de lo que Dios había creado. LA BENDICIÓN se transformó en maldición.

12. Si un hombre tiene ese poder siendo un ser caído, ¿cuánto poder y autoridad poseemos nosotros como creyentes? Tenemos **todo el poder y toda la autoridad**, pues Jesús los posee, y nosotros estamos en Él, y Él en nosotros. El diablo no quiere que usted lo sepa, pero ésta es la verdad: **No hay nada mayor en este universo que un** _______ _________ _________.

13. Dios hizo lo que debía realizar por Sus amados Adán y Eva. Al sacrificar a un animal, Él cubrió su desnudez y vergüenza, creándoles túnicas de piel. Por medio de ese sacrificio, el SEÑOR estableció el primer _________ ____ __________. Él expió su pecado y creó una vía mediante la cual Él pudiera mantener cierta relación con ellos. Después, en Su gran misericordia, aseguró que la humanidad no viviría en ese estado eternamente (Génesis 3:22-24).

14. Adán y Eva sabían lo que se estaban perdiendo. El esplendor y la gloria de Dios y el reino espiritual habían sido tangibles y accesibles para ellos como si fuera el reino material. Pero ahora todo ese reino se había desvanecido, y se dieron cuenta que se encontraban atrapados por las tinieblas, y por debajo de ___ _________ ___ ___ ______.

15. ¿Qué es esa línea de la luz? Es la línea que separa el reino espiritual del reino material. Ésta existe porque la luz de Dios que Él liberó en el primer día de la Creación obra en dos niveles. El nivel más alto funciona en el reino ____________, y el nivel más bajo (o más lento) constituye el mundo ____________ (Colosenses 1:16).

16. Adán y Eva quedaron atrapados por debajo de la línea de la luz y se confinaron al mundo natural. Durante los 6,000 años que han transcurrido desde ese entonces, las personas se han acostumbrado a ese confinamiento. Muchos de ellos han llegado a creer que el reino visible es lo único que existe. Ellos niegan toda realidad que no puedan percibir con sus sentidos naturales. Pero quienes hemos _________ _________ __________ sabemos que eso es distinto porque nuestro espíritu recreado se encuentra en constante contacto con el reino celestial. Quizá no podamos ver ese reino con nuestros ojos naturales, pero sí podemos verlo con el ojo de la _____.

Preguntas de reflexión y estudio:

¿Qué decisión lo insta a tomar este capítulo?

¿En qué le beneficia y qué cambios trae para su futuro y para su ministerio todo lo que ha aprendido?

Enumere algunas de los disposiciones que realizará en base a todo lo que acaba de aprender.

a.

b.

c.

Activando el plan B: Inicia la restauración

1. Dios ideó el plan B. El SEÑOR creó un puente entre Él y la humanidad al forjar __________ ___ __________ con quienes creyeran en Él y lo honraran. Por medio de esos hombres y mujeres de fe, Él conservó para Sí mismo un _______ sobre la Tierra. Él lo estableció para que, al transcurrir el tiempo, surgiera la Simiente que había mencionado en el huerto; la cual destruiría al diablo. Él levantó personas de pacto por medio de quienes Él pudiera, un día, restaurar por completo LA BENDICIÓN.

2. Satanás en realidad poseía los reinos del mundo y su gloria. Por esa razón, él estaba tan determinado a eliminar del planeta al linaje de Dios. Si él quería que su señorío sobre la Tierra fuera permanente, debía destruir a quienes el Señor utilizaría para ___________ ______ ____________ sobre toda la humanidad. Sin embargo, cada vez que lo intentaba, se metía en un problema mayor. El enemigo descubrió que Dios ____________ a Su pueblo.

Dios no se arrepintió de la existencia de la humanidad, sino de que ésta viviera bajo la maldición y no en LA BENDICIÓN (Génesis 6:5-8). Cuando el Diluvio finalizó y la ola de maldad había sido destruida, la humanidad tuvo un nuevo comienzo (Génesis 9:1-2).

3. Si esa BENDICIÓN le parece conocida, se debe a que Dios le dijo a Noé y a su familia lo mismo que le expresó a Adán en Génesis 1:28: ¡_____ __________!

4. Como Noé y sus hijos —________, ________ y ________— representaban todas las razas y las naciones que habitarían este planeta, LA BENDICIÓN se transmitió por medio de ellos hacia todas las familias de la Tierra.

5. Sin embargo, al igual que Adán y Eva, Noé y sus hijos echaron a perder las cosas. Sólo el hijo primogénito de Noé, ____________, permaneció junto a Dios. Y del linaje de Sem, nació un hombre llamado ____________. Y por medio de él —quien más tarde sería conocido como Abraham— Dios dio Su siguiente misterioso paso hacia la restauración eterna de LA BENDICIÓN.

6. Dios estaba buscando a un hombre que, al compartir su fe con su familia, perpetuara el linaje de LA BENDICIÓN. Dios vio la chispa de fe en Abram, encendió ese fuego al expresarle a Abraham lo mismo que le dijo a _________. Fue lo mismo que le dijo a Noé y a su familia. Dios declaró la BENDICIÓN sobre Abraham. Él le otorgó poder para que ____________ y ____________ en todo lo bueno, y lo colocó en una posición de autoridad cuando expresó: "Cualquiera que te haga el bien, Yo le haré el bien. Cualquiera que venga contra ti, yo iré contra ellos. Yo te respaldaré al 100 por ciento" (Génesis 12:3).

7. Dios expresó: *«…y serán ____________ en ti todas las familias de la tierra»*. Éste es un punto importante. Por muchos años, la mayoría de cristianos no ha visto conexión alguna entre la BENDICIÓN de Adán y la de Abraham. Si leemos la Biblia como un conjunto de ____________ ____________, entonces vemos las Escrituras como si Dios se estuviera inventando todo. Sin embargo, la voluntad de Dios para nosotros es que vivamos BENDECIDOS y Él le entregó LA BENDICIÓN a la humanidad es para siempre. Ésta nunca cambiará porque Él nunca cambia.

8. En el Nuevo Testamento se declara: *«Y la Escritura, previendo que Dios había de justificar por la fe a los gentiles, dio de antemano la buena nueva a Abraham, diciendo: En ti serán BENDITAS todas las naciones»* (Gálatas 3:8). De acuerdo con esos versículos, Abraham escuchó por primera vez el Evangelio cuando Dios le declaró LA BENDICIÓN en Génesis 12. Sin embargo, él no la había comprendido por completo hasta que ______________ la ministró sobre él. En ese momento, él se percató de que a través de LA BENDICIÓN, Dios le estaba dando posesión, no sólo de la tierra de Canaán, sino de todo el mundo.

9. Como cristianos que no hablan hebreo, la mayoría de nosotros nunca se ha dado cuenta que eso fue lo que dijo Melquisedec. Creíamos que él se estaba refiriendo a Dios en Génesis 12 como el dueño del cielo y de la Tierra. Pero no es así. Él estaba hablando acerca del hombre de pacto de Dios. Se estaba refiriendo a _________, el bendido del Dios Altísimo como el poseedor de todo. Si le es difícil creerlo, lea Romanos 4. En éste se menciona a Abraham como "el heredero del _________".

10. El hermano Copeland ha escuchado predicar que Melquisedec era en realidad _________, pues no tenía padre ni madre, y que no había nacido ni muerto. Pero eso no es cierto, la historia judía nos resuelve el misterio. Él era el hijo de Noé, _______. Lo que hace a Melquisedec un tipo de ____________ del

Antiguo Testamento es el hecho de que él estaba ungido, tanto para declarar LA BENDICIÓN como para recibir los __________ (Hebreos 7:5-8). Desde cualquier perspectiva que lo vea, LA BENDICIÓN y el ____________ están conectados desde el huerto de Edén.

Preguntas de reflexión y estudio:

¿Qué decisión lo insta a tomar este capítulo?

____

____

____

____

¿En qué le beneficia y qué cambios trae para su futuro y para su ministerio todo lo que ha aprendido?

____

____

____

____

Enumere algunas de los disposiciones que realizará en base a todo lo que acaba de aprender.

a. ____

____

____

b. ____

____

____

c. ____

____

____

Rastreando el linaje de LA BENDICIÓN

1. Una vez que Abraham estableció su fe en el pacto de sangre de Dios y creyó, sin dudar, que ___ ___________ les daría un hijo a él y a Sara; nació ________ —a pesar de que tenían _____ años—. Abraham crió a su hijo de la forma en que Dios había dicho que lo haría. Él le enseñó los caminos de Dios, y lo entrenó en la vida y en el poder de LA BENDICIÓN. Por supuesto, Isaac no sólo escuchó las historias, sino que también vivió algunas de ellas.

2. En Hebreos 11:17-19, encontramos qué significa estar plenamente convencido. Abraham sabía que su Dios podía y realizaría todo lo que Él le había prometido—. Ésa fue la __________ _____ _____ de Isaac. Él creció viendo, escuchando y creyendo que LA BENDICIÓN había transformado y que siempre cambiaría cualquier situación a favor de Abraham. Una cosa es ver cómo LA BENDICIÓN obra a favor de otro, y otra totalmente diferente, es creer que ésta obrará de la misma manera para ________.

3. Cuando Isaac escuchó aquellas palabras (Génesis 26:2-5), —las cuales provenían de forma directa del Dios todopoderoso—, de seguro, se estremeció, le temblaron las rodillas y su corazón le subió a la garganta. Era el SEÑOR mismo hablándole a **él**. Creo que en ese momento, la ____________ golpeó a Isaac como si un camión de 18 neumáticos lo hubiera atropellado. **LA BENDICIÓN de Abraham ahora le pertenecía a él**.

4. ¡Los creyentes de hoy necesitan captar esa revelación al igual que Isaac lo hizo! Debemos percatarnos de que cada promesa en la Biblia es un ________ ____ _______ ________ ____ ________. Porque en Jesús, todas Sus promesas son sí y amén, Dios nos ha dicho, lo mismo que de seguro le expresó a Isaac: "REALIZARÉ en tu vida LA BENDICIÓN de Abraham. ¡Te ___________ y te ___________! Crearé las mismas condiciones del ________ ___ _____ a tu alrededor, y ¡tú llevarás ____ __________ a las personas adondequiera que vayas!".

5. Por medio de Isaac, LA BENDICIÓN se transmitió a través del linaje de sus hijos: ________ y ________. Si ambos hubieran vivido por fe en ésta, LA BENDICIÓN habría producido los mismos

resultados que en la vida de su padre y de su abuelo. El mayor, Esaú, la menospreció tanto que un día que tenía hambre, la vendió a cambio de un guisado de lentejas. Al igual que ____________, él entregó LA BENDICIÓN por comida. Dios vio en Jacob un hombre que tenía fe en LA BENDICIÓN (pero que no sabía cómo vivir conforme a ésta).

6. Esa noche, Dios le dio por gracia a ___________ LA BENDICIÓN que él había intentado y fallado en obtener de forma fraudulenta. El SEÑOR declaró sobre su vida, el pacto de sangre que había heredado; y Jacob respondió —así como Abraham e Isaac— prometiéndole a Dios darle el __________ (Génesis 28:13-15, 20-22).

7. Con LA BENDICIÓN activada en su vida, Jacob estuvo a la expectativa de que las cosas comenzaran a mejorar —y de alguna manera, así sucedió—. Sin embargo, había un problema. ________ no era un hombre honesto. Desde el momento en que Jacob comenzó a trabajar para él, lo engañó. Él le prometía cosas a Jacob, y luego no las cumplía. Él lo estafó con su sueldo. Y a pesar de todo, _______ ____________ se mantuvo obrando a favor de Jacob.

8. Jacob no robó nada. Él sólo vivía por ______ en LA BENDICIÓN, y ésta lo prosperó de continuo hasta el punto en que ésta se apropió de todo lo que ellos poseían. Y ya no fue conocido como Jacob: **el engañador**; sino como Israel: **el príncipe de Dios**.

Preguntas de reflexión y estudio:

¿Qué decisión lo insta a tomar este capítulo?

____

____

____

____

____

¿En qué le beneficia y qué cambios trae para su futuro y para su ministerio todo lo que ha aprendido?

____

____

____

____

____

Enumere algunas de los disposiciones que realizará en base a todo lo que acaba de aprender.

a. ____

____

____

b. ____

____

____

c. ____

____

____

Diez Mandamientos de amor: Enseñándoles a los israelitas a vivir conforme a LA BENDICIÓN

1. El tono de voz que utilizó Dios para dar esos mandamientos y la razón que tenía para establecerlos, se ha malinterpretado por completo a través de los años. Las personas aseguran que Él los dio con una voz amenazante y apretando el puño. Han visto los mandamientos como si fueran __________, pero nada puede estar más lejos de la verdad. El SEÑOR se los entregó para enseñarles lo que __________, ___________ y ____________ habían aprendido. Él quería enseñarles a vivir por fe en LA BENDICIÓN. Él no utilizó un tono de voz como si estuviera diciendo: "¡Será mejor que cumplas esto o aquello!". Al contrario, Él estaba asegurando: "Así es como se conducen quienes tienen un __________ conmigo".

2. Cuando Él dijo en los Diez Mandamientos: *«No tendrás dioses ajenos delante de mí»*, Él no estaba siendo exigente. ¿Qué les estaba asegurando? ___ _______ ___ __ ___ __ _____ ____ ___ ________ __ __ ____

3. Cada mandamiento fue dado en ____________, pues Dios es ____________.

4. Dios quería renovar la mente de los israelitas, pues cualquier cosa que se encontrara en su interior se revelaría con el transcurrir del tiempo. Si tenían una mentalidad de esclavitud, entonces transformarían, incluso, la Tierra Prometida en un lugar de esclavitud. Pero si llevaban consigo una mentalidad de BENDICIÓN, esa BENDICIÓN crearía un __________ _____ ________ adondequiera que fueran. Debido a que llevamos en nuestro interior LA BENDICIÓN adondequiera que vamos, Dios puede enviarnos adonde sea. Y debido a LA BENDICIÓN que se encuentra en nuestro interior, podemos transformar un lado oscuro del mundo en un sitio donde brote ___________ y ___________.

5. Cuando Dios le declaró esa BENDICIÓN al pueblo de Israel, a Él no se le estaba ocurriendo algo nuevo. Sólo les estaba explicando qué incluía LA BENDICIÓN, la cual habían heredado como simiente de __________. Les estaba confirmando ____ ___________ original —la primera que había liberado sobre la humanidad en el huerto de Edén—. ¿En qué libro y capítulo de la Biblia se revela esa BENDICIÓN? _______________.

6. LA BENDICIÓN funcionan ahora, así como en los días de Moisés. Si nos aferramos a los Diez Mandamientos por ____________, tendrán el mismo efecto sobre nosotros que el que tuvieron sobre los ____________ que los creyeron. Éstos causarán que sobresalgamos y prosperemos dondequiera que vivamos.

7. Como creyentes del Nuevo Pacto, no sólo estamos protegidos de la maldición, sino que también tenemos dominio sobre ésta. No tiene autoridad sobre nosotros a menos que nos rindamos a ella. ¿Cuál es la base bíblica de esta verdad? ____________________

8. ¿Dónde se encontraba el hermano Copeland predicando cuando experimentó por sí mismo esta verdad? ___________ _______

9. El hermano Copeland se negó a sentarse en una silla de ruedas y caminó durante todo el trayecto hasta el automóvil con Gloria y sus padres, quienes habían llegado a encontrarlo en el avión. Camino a casa, hizo algo que nunca había hecho y que no volvió a realizar desde entonces. ¿Dónde se quedó esa noche el hermano Copeland? _____ ________ _____ _____ ________

10. El hermano Copeland subió las gradas tan pronto como pudo, y se fue a dormir —con dolor y todo—. Él no lo sabía, pero después que se quedó dormido, su madre llegó a la habitación y se sentó a los pies de la cama. Se quedó orando ahí como hasta las 2:00 a.m., hasta que él se despertó y se sentó bien erguido declarando: "__________ _____ ______!"

11. Algunas veces se requiere de ese tipo de lucha en ___________ para vivir bajo LA BENDICIÓN. Pero es una buena ___________, pues ¡la ganamos!

Preguntas de reflexión y estudio:

¿Qué decisión lo insta a tomar este capítulo?

____

____

____

____

____

¿En qué le beneficia y qué cambios trae para su futuro y para su ministerio todo lo que ha aprendido?

____

____

____

____

____

Enumere algunas de los disposiciones que realizará en base a todo lo que acaba de aprender.

a. ____

____

____

b. ____

____

____

c. ____

____

____

Capítulo 8

El día que todo el cielo estalló en gozo

1. Para el SEÑOR, un día es como mil años y mil años son como un día (2 Pedro 3:8). Por consiguiente, para Dios trascurrió menos de una ____________ entre el huerto de Edén y el nacimiento de Jesús. Entonces, ¿cuántos días trascurrieron entre el huerto de Edén y el nacimiento de Jesús? _________.

2. A pesar de la vehemente oposición del diablo, LA BENDICIÓN siempre permaneció activa por lo menos en un ____________. A lo largo de los tiempos, siempre hubo un hombre, una mujer o un grupo de creyentes perseverantes que se negaban a abandonarla.

3. El verdadero gozo es el resultado de la obra del ____________ ____________ en su interior. Éste surge porque Dios vive dentro de usted. Pero en aquellos días, era difícil siquiera imaginar tal cosa. Pero eso no era todo lo que el ángel del SEÑOR les estaba expresando. ____________ restauró LA BENDICIÓN para toda la raza humana. El ángel le estaba anunciando a la raza humana —la cual había sido maldecida por el pecado y destituida del huerto de Edén. Y además vivía en un mundo maldecido por 4,000 años— que el camino hacia el huerto estaba abierto de nuevo.

4. _____ ____________es la perfecta voluntad de Dios para las personas. ____________ es la perfecta voluntad del SEÑOR para la humanidad.

5. Incluso antes que Jesús finalizara Su misión en la Tierra —antes de ir a la Cruz y completar el plan de redención—, Dios envió a Sus ángeles a declarar: "¡Buenas nuevas para todos! _____ ____________ ha vuelto!". Así es como Dios siempre obra. Él llama las cosas que ___ _________ como si ____________ (Romanos 4:17). Él declara cuál será el resultado desde el principio. Y, como siempre, el final que Él declaró, se cumplió.

6. Cada ____________ que Jesús realizó y toda obra del ministerio que llevó a cabo en la Tierra, fue una manifestación de LA BENDICIÓN.

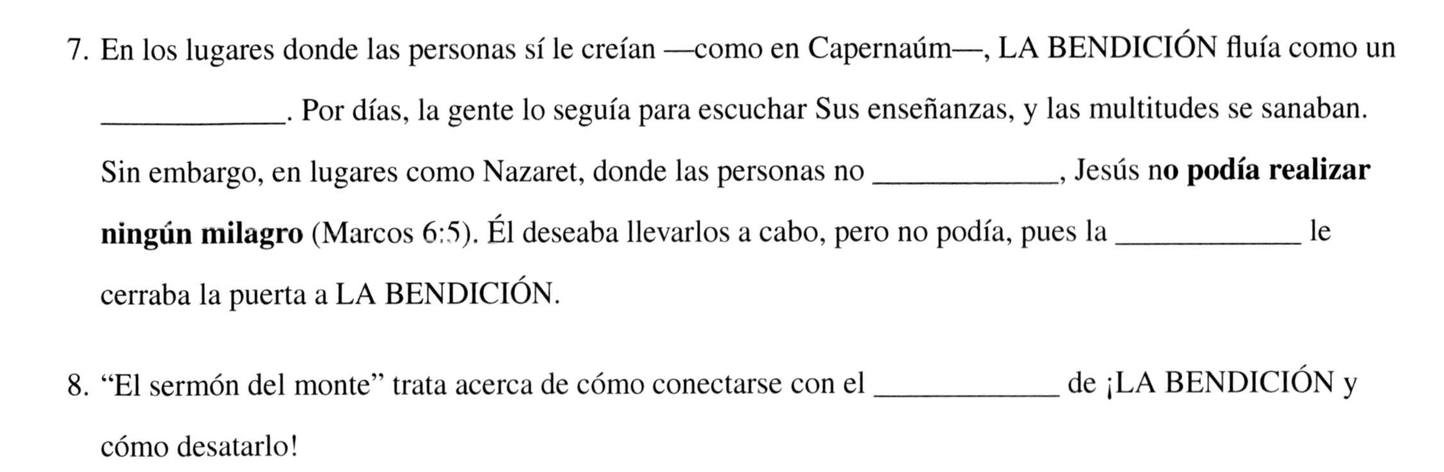

7. En los lugares donde las personas sí le creían —como en Capernaúm—, LA BENDICIÓN fluía como un ____________. Por días, la gente lo seguía para escuchar Sus enseñanzas, y las multitudes se sanaban. Sin embargo, en lugares como Nazaret, donde las personas no ____________, Jesús n**o podía realizar ningún milagro** (Marcos 6:5). Él deseaba llevarlos a cabo, pero no podía, pues la ____________ le cerraba la puerta a LA BENDICIÓN.

8. "El sermón del monte" trata acerca de cómo conectarse con el ____________ de ¡LA BENDICIÓN y cómo desatarlo!

Preguntas de reflexión y estudio:

¿Qué decisión lo insta a tomar este capítulo?

¿En qué le beneficia y qué cambios trae para su futuro y para su ministerio todo lo que ha aprendido?

Enumere algunas de los disposiciones que realizará en base a todo lo que acaba de aprender.

a.

b.

c.

De la Cruz a Su trono

1. Dios no envió a Jesús para que fuera nuestro ejemplo, sino para que fuera el ______ ______ de un nuevo __________.

2. El ___________ que Jesús pagó por el Nuevo Pacto va mucho más allá de lo que puede comprender la mente natural; SIN EMBARGO, Él realizó todo esto para restaurar _____ ___________.

3. Jesús es la segunda persona de la Trinidad. Él no se convirtió en alguien más cuando ascendió al cielo. Él todavía es un _________. Y por siempre lo será. Él tiene el mismo cuerpo que poseía mientras ministró en la Tierra. Por supuesto, ahora está glorificado. Él se lo probó a Tomás después de la Resurrección.

4. Ésta es la sorprendente verdad del cristianismo: el Hijo de Dios se convirtió en hombre para siempre, y ahora hay un hombre resucitado y glorificado en la Trinidad. Él es el ___________ de ___________. Él es el victorioso de todos, y es nuestro representante. Hemos llegado a la Trinidad por medio de Él.

5. Aun cuando Jesús derramó Su sangre para realizar el ________ ___________; e incluso, después de derrotar al diablo, de quitar la cautividad de los santos, de purificar de la contaminación de Satanás los utensilios celestiales de adoración, de quitar todo rastro de él del cielo; Jesús no había terminado por completo la obra de ___________. Pues Él aún debía cumplir la promesa que les hizo a los discípulos antes de ir a la Cruz (Juan 14:16). ¿Cuál era esa promesa?______ ___ ________ _______

6. En Hechos 2:2-4, ¿cuál fue el ruido que se produjo y por qué?

___________ ___________ ___________ ___________ ___________ ___________ ___________

___________ ___________ ___________ ___________ ___________ ___________ ___________

___________ ___________.

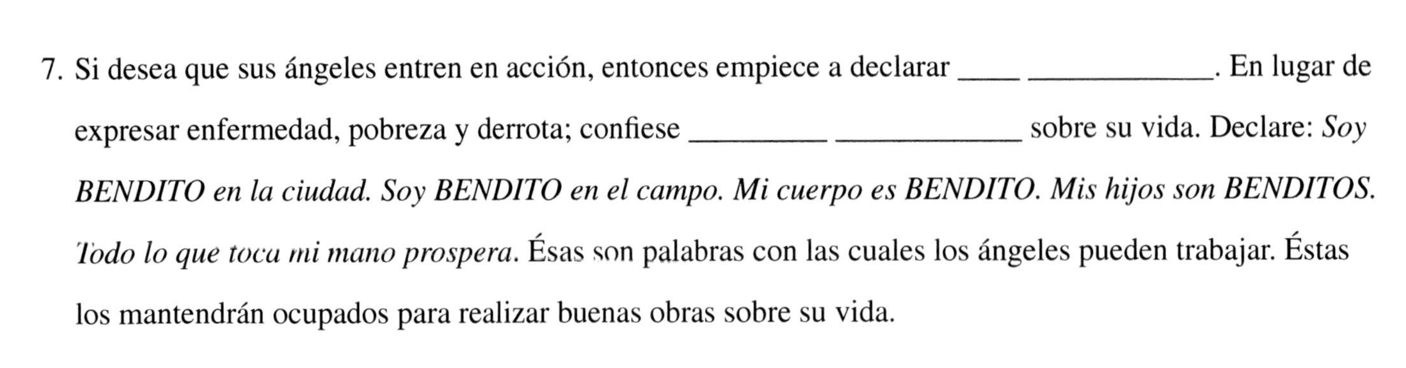

7. Si desea que sus ángeles entren en acción, entonces empiece a declarar ____ ____________. En lugar de expresar enfermedad, pobreza y derrota; confiese _________ ____________ sobre su vida. Declare: *Soy BENDITO en la ciudad. Soy BENDITO en el campo. Mi cuerpo es BENDITO. Mis hijos son BENDITOS. Todo lo que toca mi mano prospera.* Ésas son palabras con las cuales los ángeles pueden trabajar. Éstas los mantendrán ocupados para realizar buenas obras sobre su vida.

8. Dios ha asignado al menos un ángel (o quizá más) para cada ____________.

Preguntas de reflexión y estudio:

¿Qué decisión lo insta a tomar este capítulo?

____

____

____

____

____

¿En qué le beneficia y qué cambios trae para su futuro y para su ministerio todo lo que ha aprendido?

____

____

____

____

____

Enumere algunas de los disposiciones que realizará en base a todo lo que acaba de aprender.

a. ____

____

____

b. ____

____

____

c. ____

____

____

Una raza nacida de nuevo

1. La mayoría de cristianos no saben quiénes son. Ellos han sido ___________ por el diablo para creer que sólo son "viejos pecadores, salvos por gracia".

2. La frase _________ ____________ no se refiere a que algo haya sido renovado. Tampoco describe a un pecador que sólo ha sido limpiado a medias. Una ________ ____________ es una nueva especie que nunca antes había existido; y eso es lo que usted es.

3. Como creyentes del Nuevo Testamento, tenemos más que sólo un registro legal de justicia en el cielo. En realidad, hemos sido **hechos** ____________ de Dios en Cristo, sin mancha y sin pecado como Jesús mismo. Para llevar a cabo esto, Él tuvo que hacernos **nuevas criaturas**.

4. Su espíritu fue la parte que se recreó de su ser —o lo que en la Biblia se le llama **el hombre interior o lo íntimo del corazón**—. Su espíritu es en realidad quien usted es. En la Biblia, por lo general, se refieren a éste como el _______________, pues éste es el centro de quien usted es. Es la vida y el centro de poder de cada ser humano.

5. En 2 Corintios 3:18, se describe mejor el proceso. En esta cita, se nos afirma que mientras continuemos "…contemplando [en la Palabra de Dios] como en un espejo la gloria del Señor, [nosotros] estamos constantemente siendo ____________ a Su misma imagen con un esplendor que siempre aumenta y que va de un grado de gloria a otro…" *(AMP)*.

6. Todo aquel que desee obrar en la plenitud de LA BENDICIÓN, debe entender lo que realmente sucedió cuando fuimos salvos. Necesitamos comprender que el mismo Creador —el Espíritu Santo— se posó sobre nosotros, plantó la semilla de la ________ de Dios en nuestro interior, y __________ nacimos de nuevo.

7. Uno de los mejores ejemplos de lo que sucede con nuestro espíritu al momento del nuevo nacimiento, lo encontramos en el relato de la creación de Adán en el libro de Génesis. Cuando Dios sopló aliento de vida divina sobre él, diciendo: «… *Hagamos al hombre a nuestra imagen, conforme a nuestra semejanza; y*

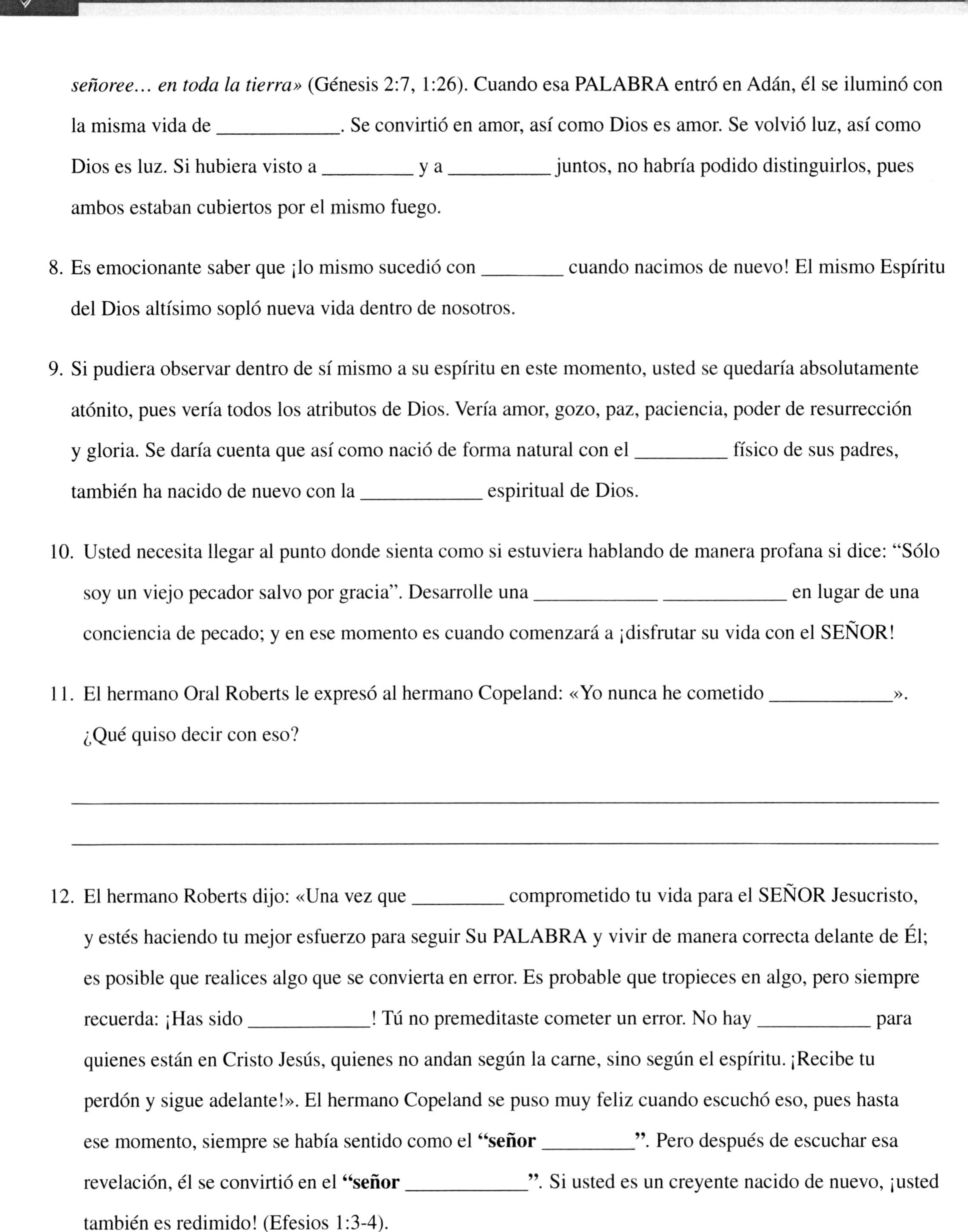

señoree... en toda la tierra» (Génesis 2:7, 1:26). Cuando esa PALABRA entró en Adán, él se iluminó con la misma vida de ____________. Se convirtió en amor, así como Dios es amor. Se volvió luz, así como Dios es luz. Si hubiera visto a _________ y a __________ juntos, no habría podido distinguirlos, pues ambos estaban cubiertos por el mismo fuego.

8. Es emocionante saber que ¡lo mismo sucedió con ________ cuando nacimos de nuevo! El mismo Espíritu del Dios altísimo sopló nueva vida dentro de nosotros.

9. Si pudiera observar dentro de sí mismo a su espíritu en este momento, usted se quedaría absolutamente atónito, pues vería todos los atributos de Dios. Vería amor, gozo, paz, paciencia, poder de resurrección y gloria. Se daría cuenta que así como nació de forma natural con el _________ físico de sus padres, también ha nacido de nuevo con la ____________ espiritual de Dios.

10. Usted necesita llegar al punto donde sienta como si estuviera hablando de manera profana si dice: "Sólo soy un viejo pecador salvo por gracia". Desarrolle una ____________ ____________ en lugar de una conciencia de pecado; y en ese momento es cuando comenzará a ¡disfrutar su vida con el SEÑOR!

11. El hermano Oral Roberts le expresó al hermano Copeland: «Yo nunca he cometido ____________».
¿Qué quiso decir con eso?

____

____

12. El hermano Roberts dijo: «Una vez que _________ comprometido tu vida para el SEÑOR Jesucristo, y estés haciendo tu mejor esfuerzo para seguir Su PALABRA y vivir de manera correcta delante de Él; es posible que realices algo que se convierta en error. Es probable que tropieces en algo, pero siempre recuerda: ¡Has sido ____________! Tú no premeditaste cometer un error. No hay ___________ para quienes están en Cristo Jesús, quienes no andan según la carne, sino según el espíritu. ¡Recibe tu perdón y sigue adelante!». El hermano Copeland se puso muy feliz cuando escuchó eso, pues hasta ese momento, siempre se había sentido como el **"señor** _________**"**. Pero después de escuchar esa revelación, él se convirtió en el **"señor** ____________**"**. Si usted es un creyente nacido de nuevo, ¡usted también es redimido! (Efesios 1:3-4).

13. Deberíamos estar ____________ en las verdades bíblicas de quiénes somos y en _______ ____________ que se encuentra en nosotros.

14. Permanezca firme en el hecho de que a través del plan de redención, Jesús ha restaurado **por completo** LA BENDICIÓN en usted. Luego active esa BENDICIÓN por ____________. Permítale que comience a crear un _________ ____ ______ en su casa, en su iglesia, en su negocio y en su vecindario. Deje que ésta fluya de usted a las calles y a otros que necesiten ayuda.

15. Como discípulos de Jesús, debemos identificarnos con ________.

16. Según la PALABRA de Dios, el planeta entero le pertenece a usted, a mí y a cada creyente. "La promesa para Abraham y para su descendencia, es que él heredaría el mundo", es _________ como ___________ de LA BENDICIÓN. A través de Jesús, el último Adán, una vez más se nos ha dado el título de propiedad sobre la Tierra. Por medio de Él, la humanidad ha regresado al ____________.

17. En Hebreos 4:3-4, 9-10, con LA BENDICIÓN funcionando de nuevo, nosotros como creyentes no tenemos que trabajar, sudar y esforzarnos para **ganarnos la vida** como las personas que son dependientes del sistema impío de este mundo. La Tierra no pelea con nosotros cuando cultivamos sobre ella, no produce espinas y cardos cada vez que ponemos nuestras manos sobre ella. ¡La maldición huyó de nosotros! A causa de lo que ____________ hizo, podemos entrar en el ____________ de Dios y poner a obrar LA BENDICIÓN a nuestro favor.

18. Podemos dejar de luchar con nuestras propias fuerzas, y confiar en que LA BENDICIÓN nos da el poder para cumplir nuestra misión original. ¿Cuál es esa misión? La misma que ha sido siempre: Crear un ________ ____ _______ adondequiera que vayamos. Y ¿cómo lo logramos? En primer lugar al predicar el ____________. Y lo logramos enseñándoles a las personas que a través de Jesús, el huerto de Edén está ____________ otra vez.

En el oeste de Virginia, el estado tiene una nueva frase: "De nuevo abierto al público". Gracias a Jesús, cuando creemos el mensaje de fe y nacemos de nuevo, comprendemos que el huerto de Edén una vez más está de nuevo abierto para nosotros. ¿Qué hacemos entonces?

1. *Predicamos acerca del huerto.*

2. *Les compartimos a los demás que el huerto de Edén está abierto.*

3. *Vivimos conforme a LA BENDICIÓN para darle a la gente un ejemplo a seguir.*

19. Alguien podría decir: "Oraré para que el Señor eche fuera a los demonios y que todos sean salvos, sanos y prósperos". Si desea orar, hágalo; pero eso no le servirá de nada. Jesús nunca dijo que Él llevaría el evangelio a su ciudad. Tampoco aseguró que Él echaría fuera a los demonios de ahí. Y menos que impondría manos sobre las personas a su alrededor para sanarlas. Él expresó: *"Vayan________ a todo el mundo y prediquen el evangelio a toda criatura. Echen_________fuera los demonios. Impongan __________ las manos sobre los enfermos, y éstos sanarán. Vayan ________ y _____ iré con ustedes".*

Esa tan sólo es otra forma de expresar: "Ejerzan autoridad sobre la Tierra. Señoréenla y sojúzguenla. Lleven LA BENDICIÓN a todo el mundo, y llenen todo el lugar con la gloria de Dios". Esa comisión no es sólo para los predicadores, sino para cada miembro del Cuerpo de Cristo. Usted debe actuar conforme a ésta. Debe expresar todos los días al levantarse: "Yo soy BENDITO. LA BENDICIÓN de Abraham es mía. Jesús la ha puesto en mí y sobre mí; y esa BENDICIÓN fluye desde mi ser".

Discuta el ejemplo de Guatemala que el hermano Copeland dio con respecto a establecer el huerto de Edén en el mundo.

____

____

____

____

Preguntas de reflexión y estudio:

¿Qué decisión lo insta a tomar este capítulo?

____

____

____

____

____

¿En qué le beneficia y qué cambios trae para su futuro y para su ministerio todo lo que ha aprendido?

____

____

____

____

____

Enumere algunas de los disposiciones que realizará en base a todo lo que acaba de aprender.

a. ______________________________

____

____

b. ______________________________

____

____

c. ______________________________

____

____

El SEÑOR y el Sumo Sacerdote de LA BENDICIÓN

1. Jesús, como nuestro ____________ ____________, es el Ministro de LA BENDICIÓN.

2. Uno de los aspectos de LA BENDICIÓN que Él ministra es el __________ y la __________. Sin embargo, ése no es el final de la historia. Jesús no sólo obtuvo el perdón de nuestras transgresiones pasadas ni simplemente nos libró del castigo del pecado, pues Él derrotó todo el sistema de pecado. Él desató la ley del espíritu de vida, y nos hizo libres de la ley del pecado y la muerte, destruyendo por completo el poder del pecado y del diablo.

3. En el Nuevo Testamento se describe una clara diferencia entre el ___________ de Jesús y Su __________. Refiriéndose a Su exaltación después de la Resurrección, leemos: *«... Dios le ha hecho Señor y Cristo».*

4. El término Cristo, el cual en griego significa: "____ ________ y ___ __________", se refiere al ministerio de Jesús como Sumo Sacerdote y Administrador de LA BENDICIÓN. Ahora bien, la palabra SEÑOR se refiere a Su posición como _________, _________ y ____ __________, quien puso a la muerte bajo Sus pies. Él es quien tiene un nombre sobre todo nombre; y cuando éste se pronuncia, toda rodilla se dobla y toda lengua confiesa en el cielo, en la Tierra y debajo de la Tierra que Él es el SEÑOR. Es el SEÑOR sobre la enfermedad, la pobreza y sobre todo lo que en este sistema del mundo trate de robarnos cualquier parte de LA BENDICIÓN. Y, gracias a que hemos sido resucitados y nos hemos sentado con Él en los lugares celestiales, poseemos tanto el derecho como la responsabilidad de permanecer en ese señorío por fe; y resistir al diablo hasta que huya de nosotros. Eso es lo que el apóstol Pablo nos indica que debemos realizar en Efesios 6:10-13.

5. En estos versículos se nos recuerda que Él nos ____________ esa responsabilidad al **convertirnos** en reyes y sacerdotes

6. Una vez que sepa que está resistiendo al diablo de forma correcta, de acuerdo con la ____________, sólo debe permanecer ______ ______ _____ para mantener derrotado al diablo y fuera de cualquier situación.

"Pero en ocasiones, me canso cuando debo permanecer firme por mucho tiempo". Usted no se cansará en lo absoluto si lleva a cabo lo que en esos versículos se le indica. Si continúa: *«...orando en todo tiempo... en el Espíritu»*, se fortalecerá a cada minuto, pues se está edificando a sí mismo sobre su santísima fe (Efesios 6:14-18).

Declare siempre: *Mayor es el que está en mí que el que está en el mundo... También recuerde que ejercemos el poder de la vida y la muerte con nuestra lengua. El Salmo 91 nos ayuda en nuestra conexión de pacto de fe. Cuando confesamos la PALABRA del SEÑOR, Él declara LA BENDICIÓN sobre nosotros: "Sí, Yo tomaré el control de esa confesión".* ¿Puede usted ver el gozo y la emoción de saber que estamos respaldados por el ministerio sacerdotal de Jesús?

7. Abraham no sólo recibió esa BENDICIÓN, y dijo: "Gracias. Aprecio eso", y luego se marchó. En ____________ y en ____________ leemos que él respondió ante LA BENDICIÓN de una forma específica, igual a la que Dios había planificado que Adán respondiera en el huerto: ____________.

8. Debemos entregarle a Jesús, nuestro Sumo Sacerdote, nuestros diezmos de una forma devota y con reverencia; y desatar siempre nuestra ______: todo esto como una fresca expresión de LA BENDICIÓN.

9. Abraham comprendió mejor que muchos de los cristianos de hoy en día, la importancia de esa interacción de pacto. Él sabía que los elementos de la Santa Cena eran símbolos del pacto de _________ y que representaban que Dios le estaba prometiendo Su propia vida. Él comprendió que el Padre estaba jurando ___ _______ que jamás rompería —Él tendría que dejar de existir antes de romper Su pacto con Abraham— (Hebreos 6:16-20).

10. Entonces, en lugar de ser guiados por nuestras emociones, nuestras almas deberían ____________ a LA BENDICIÓN. En ese momento, diezmar se vuelve un privilegio y una emoción, ya que lo hacemos en respuesta al hecho de que el Dios todopoderoso nos ha BENDECIDO.

Tenemos acceso a los recursos ilimitados del cielo, pues vivimos por Jesús, así como leemos en 1 Juan 4:9.

11. Debemos establecer lo siguiente en nuestra mentalidad: Administrar LA BENDICIÓN no debe ser algo __________. ¡Pues hemos nacido para ello! Si tan sólo nos atreviéramos a creerlo, podríamos disfrutar del mejor momento de nuestra vida.

Preguntas de reflexión y estudio:

¿Qué decisión lo insta a tomar este capítulo?

¿En qué le beneficia y qué cambios trae para su futuro y para su ministerio todo lo que ha aprendido?

Enumere algunas de los disposiciones que realizará en base a todo lo que acaba de aprender.

a.

b.

c.

Siguiendo la fe de Abraham

1. La primera pregunta que surge cuando comprende la asombrosa magnitud de LA BENDICIÓN es la siguiente: "¿Cómo logro que ésta obre en mi vida?". Eso es algo que debemos saber. Todo esto se convirtió en nuestra propiedad desde que ________ ____ _________.

2. Como ____________ con Jesús, somos —**ahora**— poseedores con Él de todo lo que se encuentra en el cielo y en la Tierra.

En Gálatas 3:14, se nos explica con una frase corta. Léalo y discútalo.

____

____

____

____

3. La **fe** de Abraham es la que activó LA BENDICIÓN de Abraham, y ésta todavía la activa. Por esa razón, Dios expresó que ____ ____ es imposible agradarlo a Él.

4. Aunque el hermano Copeland está por completo a favor de que se obedezcan los mandamientos de Dios, cuando alguien sólo sigue las reglas; pero no tiene fe, la religión no funciona. Entonces quizá pregunte: "Hermano Copeland, ¿por qué dice eso? ¡El cristianismo es una religión!". No, las personas lo hicieron una religión, pero el verdadero cristianismo es Dios y Su ____________ —una familia formada por personas que son salvas, hechas justicia y BENDECIDAS **por medio de la fe**, quienes viven, no por una serie de reglas religiosas; sino por el amor de Dios y por el mismo tipo de fe que Abraham tuvo—.

5. Cuando el hermano Copeland descubrió que la Biblia es un libro de pacto de sangre, y que el Nuevo Testamento es en realidad el Nuevo Pacto por la sangre de Jesús, su fe en Dios se incrementó en gran manera. Entre más descubría lo que Él tenía que decirle en el libro de Su pacto de sangre, más aumentaba su capacidad de ______ ______ _____ y en todo lo que haría por él.

6. El hermano Copeland convirtió a la _______ ___ ______ en la autoridad final de su vida. Ése es el primer paso para activar su poder. Debe establecer en su corazón, de una vez por todas, que creerá en ella y realizará cualquier cosa que en ella encuentre. Debe decidir que de ahora en adelante, en lugar de ajustarla a su ______ ___ ________; hará que éste se adapte a LA PALABRA.

7. Como creyentes, debemos adoptar la misma actitud hacia la Biblia si deseamos que se libere su poder sobre nuestra vida. Debemos tratarla como el ___________ ______ _____________, es necesario que creamos en cada PALABRA que ahí encontremos y actuemos conforme a sus instrucciones. Entonces —y sólo entonces— nuestra vida comenzará a tener éxito.

8. Una vez que ha tomado la decisión de calidad de convertir ____ ____________ en su ____________ ____________, el siguiente paso que debe tomar en el proceso de fe es seguir las instrucciones que Dios nos da en Proverbios 4:20-22.

9. Con el propósito de que la PALABRA produzca fruto en su vida, debe __________ ____________ al dedicarle tiempo para estudiarla y meditar en ella.

10. Algunos piensan que Dios simplemente le dio al hermano Copeland la habilidad de vivir por fe sólo porque es predicador. Aseguran que tiene un don especial en relación a la fe. Pero eso no es cierto, pues la fe que posee ahora vino por el oír… y el oír… y el oír la PALABRA de Dios. En lo personal, le gusta llamarle a ese tiempo donde escuchamos y meditamos en la PALABRA: _____________. Ésta nos edifica, llevándonos a un lugar de fe. Ésta nos prepara para avanzar en fe, basados en esa PALABRA; y además, libera su poder creativo.

11. No tiene que entenderlo. Sólo debe creer y actuar conforme a ello. Si toma esa actitud, la PALABRA ____________ en su vida, ya sea que comprenda o no cómo funciona. Jesús lo aseguró en la parábola del sembrador cuando se refirió a la PALABRA como la __________ (Marcos 4).

12. Su espíritu fue creado para procesar la PALABRA y generar fe por medio de ésta; este proceso es muy parecido al que utiliza su sistema digestivo, el cual digiere el alimento y después le genera energía en su cuerpo. Cuando lee una promesa en la PALABRA, y expresa: *Creo que recibo*, su ____________ comienza a digerir esa PALABRA, y luego produce _____.

13. Nuestras _________ producen nuestro futuro. Lo que hablamos hoy, eso obtendremos mañana. Le guste o no, no podemos eludir esta verdad. Vivimos en un ambiente basado, creado y dirigido por las palabras.

14. Y sin lugar a duda, Abraham —el padre de la fe— nos lo demostró con su ejemplo. Él estuvo edificando su fe hasta que llegó al punto en que pudo estar **plenamente convencido** —a pesar de las circunstancias contrarias— de que él y su anciana y estéril esposa tendrían un bebé. Y él lo logró al seguir el proceso. ¿Cuál es ese proceso? ____________ las ____________ _____ ____________ y después ____________ de acuerdo con ellas.

15. En Efesios 5:1, leemos: *«Sed, pues, imitadores de Dios como hijos amados»*. La palabra ____________ que se utiliza en ese versículo, proviene del término griego que significa _________. Debemos remedar a Dios, así como los hijos remedan a sus padres.

Uno de los amigos del hermano Copeland, John Osteen, escribió un libro que habla acerca de que en su boca hay un milagro.

16. Describa una de la historias favoritas del hermano Copeland referentes a confesar y actuar.

____

____

____

____

17. En ese momento, las circunstancias de la sunamita no aparentaban ser BENDITAS. En lo emocional, no era BENDECIDA; pero ella ____________ que si lo era. Entonces llamó las cosas que no eran como si fueran, se arrodilló y se aferró a los pies de Eliseo; negándose a soltarlo hasta que él estuviera de acuerdo de ir con ella para ministrar a su hijo.

Sí, hay un milagro en su boca. Lea Romanos 10:8 y medítelo.

____

____

____

____

18. Usted debe decidir que confiará en la PALABRA, se sumergirá en ella y edificará su fe. Luego existe un elemento al cual el hermano Copeland le llama ____ _________. Cuando llega el momento de la entrega, algo ocurre en su espíritu. Quizá en lo exterior las cosas no aparenten haber mejorado. Es posible que los síntomas o las circunstancias que ha estado enfrentando no hayan cambiado ni un poco. Pero en el momento menos esperado, ___ __________ ____ ____ saldrá de su boca con tal poder, y usted sabrá que ya tiene la ___________.

19. Es muy emocionante cuando esas cosas empiezan a suceder. Pero también es un tiempo en el que debe mantenerse lleno de _________ confiando en que LA BENDICIÓN está obrando en su vida. Debe ser paciente y creer que está sigue obrando —ya sea que vea el resultado o no, que lo sienta venir o no—.

20. Medite en el ejemplo que el hermano Copeland dio acerca de los 1,520 acres de la propiedad que llegó a convertirse en las oficinas centrales de KCM. ¿Cuántos años sembraron y creyeron por esa propiedad?

____

____

____

____

21. Forme en su interior una imagen donde la PALABRA de Dios se cumplirá y LA BENDICIÓN se manifestará en su vida. Sumerja su imaginación en la PALABRA hasta que ___ __________ surja en usted y se aferre a _____ _______.

Preguntas de reflexión y estudio:

¿Qué decisión lo insta a tomar este capítulo?

____

____

____

____

____

¿En qué le beneficia y qué cambios trae para su futuro y para su ministerio todo lo que ha aprendido?

____

____

____

____

____

Enumere algunas de los disposiciones que realizará en base a todo lo que acaba de aprender.

a. ______________________________

____

____

b. ______________________________

____

____

c. ______________________________

____

____

Rompiendo la conexión con el temor

Todo aquel que ha vivido por fe en la PALABRA de Dios, y se ha atrevido a motivar a otros para que realicen lo mismo; en algún momento, encontrará a alguien que le diga: "Yo probé la PALABRA, y ¡no funcionó!". Un amigo del hermano Copeland tiene una magnífica respuesta para este tipo de personas. Él declara: «No, la PALABRA lo probó a usted, y usted no funcionó». En Jeremías 1:12, se nos manifiesta: «... yo apresuro mi palabra para ponerla por obra»; ésa es la actitud del Señor. Siempre, sin fallar.

1. ____________ el temor ____________ la fe. Jesús aclaró este punto en Marcos 5, con las palabras que le expresó a un hombre llamado Jairo, quien se le acercó buscando sanidad para su agonizante hija.

Medite en cómo la fe de Jairo produjo la sanidad de su hija.

____

____

____

____

2. Así como la fe es la conexión espiritual con Dios y con LA BENDICIÓN; el temor es la conexión espiritual con el diablo y con la maldición. Ya hemos visto en toda la Biblia que la ________ activa LA BENDICIÓN. La fe desata la unción de Dios sobre la vida de las personas. Cuando Jesús ministraba sobre la Tierra y predicaba el mensaje de **paz** (*Shalom*: lo cual incluye: sanidad, liberación, prosperidad y un vida sin que nada falte ni esté incompleto), quienes creían ese mensaje se conectaban con Él y recibían esa paz.

3. Toda manifestación de la ____________ es una forma de la opresión del diablo.

4. El temor lo conecta con las enfermedades y las dolencias; con la pobreza y con cada manifestación de la maldición. De acuerdo con Isaías 10:27, el yugo (u opresión) del diablo es **destruido** a causa de la

____________. Por consiguiente, el hermano Copeland le llama a la unción: **el poder de Dios que quita la carga y destruye el yugo**.

La unción destruye el yugo de opresión. Lo deja inservible para el uso del diablo. Si sólo fuera quebrado, podría ser reparado. Pero la unción no lo quiebra, lo hace polvo.

5. Así como la ____________ ______ ____________ nos conecta al espíritu de la unción, el temor nos conecta al espíritu de la anti-unción. Debemos adquirir la plena y sólida convicción bíblica de que, a través del poder de la redención, Jesús nos libró de una vez por todas de la esclavitud del ____________.

En Gálatas 3:13, leemos: «Cristo nos redimió de la maldición de la ley, hecho por nosotros maldición (porque está escrito: Maldito todo el que es colgado en un madero)».

6. Una vez que entienda quc Jesús ya compró su completa y absoluta liberación del temor, se encontrará en dirección hacia una vida libre de temor. Usted posee una sólida base bíblica para resistirlo. Pero esta base, por sí sola, no se deshará por completo de éste. Y ¿qué lo expulsará?____ _________ _____ _______

7. En la vida de un creyente, el amor comienza con la revelación de que _________ _________ _______ _______ (1 Juan 4:10, 16-18).

Debemos comprender en nuestro espíritu que el Dios todopoderoso nos ama tanto como a Jesús.

Declare que el propio equipamiento de amor de Dios se encuentra dentro de usted y en cada persona que ha confesado a Jesús como el SEÑOR de su vida. El amor, literalmente, elimina el temor de su sistema. Cuando activa el amor recibiéndolo de Dios, correspondiéndole a Él, y luego amando a nuestro prójimo como a nosotros mismos; la ola de amor sigue creciendo, como si fuera una inundación, hasta arrasar con el temor. En ese momento, usted puede reprenderlo, y éste huirá de usted.

8. Cuando sus pensamientos comiencen a tomar el rumbo equivocado, utilice su boca para llevarlos a la dirección ____________. Cualquier pensamiento negativo y de temor que tenga, puede someterlo y vencerlo, confesando ___ ___________. Usted puede dejar al diablo tan indefenso como a un gatito, contradiciéndolo con las palabras de su boca y negándose a aceptar los pensamientos que él le envíe.

Medite en la historia de Kellie de cuando ella tenía cuatro años y no aceptaba otro pensamiento. ¿Qué cosas pueden hacer que sus pensamientos cambien sus circunstancias?

___

___

___

___

Usted ha sido librado del temor por la sangre de Jesús, y el amor del Dios todopoderoso ha sido derramado en su corazón. Pero si es sabio, no esperará hasta que tenga frente a usted a un asesino en serie u ocurra un ataque terrorista para edificarse a sí mismo en relación a esa verdad. No espere hasta que algo malo suceda para comenzar a entrenarse para enfrentar el temor.

Preguntas de reflexión y estudio:

¿Qué decisión lo insta a tomar este capítulo?

____

____

____

____

____

¿En qué le beneficia y qué cambios trae para su futuro y para su ministerio todo lo que ha aprendido?

____

____

____

____

____

Enumere algunas de los disposiciones que realizará en base a todo lo que acaba de aprender.

a. ____

____

____

b. ____

____

____

c. ____

____

____

La ley real del Reino

1. Para vivir conforme a LA BENDICIÓN, todo debe depender del ___________.

2. El amor es EL mandamiento de Dios, pues el amor es LA ley que gobierna la obra de _________ _____________.

Existe una ley que obra juntamente con la ley de la fe, y la encontramos en Gálatas 5:6: «...la fe... obra por el amor». Ésa es una práctica e inalterable verdad.

3. Todo lo que esté en contra del Amor, va en contra de su misma sustancia. Toda palabra de discordia profana la forma en que usted fue creado. Palabras, pensamientos y acciones sin amor; distorsionan los _______________ y las _______________ de su cuerpo físico. Medite en cómo esto impacta su vida diaria.

____

____

____

____

El mandamiento del amor que Jesús dio no es negociable. El hermano Copeland lo compara con las órdenes militares.

4. Si existe un problema entre usted y otro creyente, usted debe dar el primer paso. No se quede sentado, esperando a que él se disculpe. Haga lo que sea necesario para estar en ___________ y poner las cosas en orden (Mateo 18:15-17).

5. ___________ libera vida y salud. Es lo más poderoso que puede realizar, a fin de que el amor y el poder de Dios fluyan con libertad a través suyo. Por tanto, tome tiempo de vez en cuando para realizar esto. Medite algunas formas en que puede aplicarlo su vida.

____

____

____

____

6. Todo en usted está hecho de amor. Toda la misericordia de Dios, Su bondad, Su amor, Su gozo, Su paz y Su mansedumbre han sido conferidas dentro de su espíritu. Usted cuenta con la misma capacidad de amar que ________ tiene, pues Su propio amor ha sido derramado en su corazón por medio del Espíritu Santo. Sólo debe ____________ esa capacidad, dándole la prioridad al ____________. En primer lugar, es necesario que decida ser un cumplidor del ______________ ____ _________.

7. Sin embargo, para mantener ese tipo de fuerza espiritual debe pasar ____________ ____ ___ _________. Invierta tiempo en Su PALABRA y llénese de ésta de continuo. Un servicio a la semana, no será suficiente. Su comunión con el SEÑOR debe ser a _________.

8. LA BENDICIÓN obra de continuo a favor suyo. No tiene que esforzarse y sudar realizando las cosas por sí mismo. No debe preocuparse por nada. Sólo debe guardar el mandamiento de amor, y permanecer en el ____________. Ame, crea, obedezca… y será BENDECIDO.

9. Con cada paso de amor que tomemos, estamos cada vez más cerca; y LA BENDICIÓN nos está cubriendo más y más. ¿Qué sucederá si se apodera por completo de nosotros? Ésta comenzará a cambiar las cosas en nuestra vida, dando como resultado una réplica del _________ ____ ______. Ésta cambiará la enfermedad en salud, la pobreza en ____________. Todas las BENDICIONES de Dios vendrán a nosotros, y comenzaremos a disfrutar días celestiales sobre la Tierra.

Preguntas de reflexión y estudio:

¿Qué decisión lo insta a tomar este capítulo?

____

____

____

____

____

¿En qué le beneficia y qué cambios trae para su futuro y para su ministerio todo lo que ha aprendido?

____

____

____

____

____

Enumere algunas de los disposiciones que realizará en base a todo lo que acaba de aprender.

a. ____

____

____

b. ____

____

____

c. ____

____

____

Notas

Ven, y siéntate conmigo

1. Dios nos ha extendido una invitación que nos permite triunfar sobre cada prueba y cada tribulación que el diablo coloque en nuestro camino. Él nos afirmó: *«Siéntate a mi diestra, hasta que ponga a tus enemigos por estrado de tus pies».*

   "Pero, hermano Copeland, creía que Dios se lo había dicho a Jesús". Así fue. Pero se aplica tanto para nuestra vida como para nuestro SEÑOR resucitado; pues no sólo Jesús está sentado a la diestra de Dios. ____________ también estamos sentados junto a Él.

2. ¿Por qué muchos creyentes entran arrastrándose hacia el trono? ¿Por qué se acercan a Dios como mendigos, suplicándole su ayuda en sus propias fuerzas para resolver sus problemas? Esto se debe a que sentarse y confiar en Dios les parece una idea presuntuosa e irresponsable. "Sería pedir demasiado que Dios se hiciera cargo de todo en mi vida. De seguro, ¡Él espera que yo haga algo al respecto!". Ellos no comprenden que la expectativa de Dios es que nos sentemos y entremos en Su reposo; es más, Él se entristece cuando no lo hacemos. En el libro de _________, se nos muestra de forma clara.

Medite en algunas formas en las que usted puede sentarse con Dios y hablar con Él.

____

____

____

____

3. Despierte cada mañana pensando: "¿Qué hará Dios por mí hoy?". Cada vez que el teléfono suene, piense: "¡Qué bien! ¡Dios está a punto de BENDECIRME de nuevo!". El hermano Copeland lleva décadas viviendo de esa manera. Aún se emociona cuando el teléfono suena, pues siempre está a la expectativa de recibir algo. Es imposible que sea agradable trabajar sólo para ganarse la vida. Sin importar cuán duro trabaje, no podrá obtener la clase de riqueza que _________ ____________ le ofrece.

4. Si desea vivir en el descanso de Dios, debe declarar de continuo ___ ____________. No debe quedarse sentado en silencio. ¡_____ _______ ___________! Por tanto, aférrese a su confesión de fe. Siéntese, declarando la PALABRA de Dios acerca de su situación y nada más. Siéntese con adoración en sus labios, y declare: *El SEÑOR es mi refugio y mi fortaleza. Mi Dios, en quien confiaré.*

Reflexione en la historia del hermano y la hermana Copeland referente al pago de la casa de alguien más.

____

____

____

____

5. Si usted está comenzando a vivir conforme a LA BENDICIÓN, quizá no se encuentre en la posición financiera para realizar algo así, pero comience donde se encuentra ahora. BENDIGA a las personas con su actitud amorosa. BENDÍGALOS con su sonrisa. Pague el almuerzo de alguien más. Mientras tanto, continúe poniendo su fe en ______ ____________. Manténgase a la expectativa de que ésta lo prosperará. Medite en LA BENDICIÓN y actúe conforme a ella, hasta que la realidad de ésta revolucione su forma de pensar; y alimente su fe hasta que lo mande directo hacia la voluntad de Dios para su vida. Permanezca en ella hasta que, como la simiente de ____________ que usted es en ____________ ____________, ¡usted se vuelva una BENDICIÓN para todas las familias de la Tierra!

Preguntas de reflexión y estudio:

¿Qué decisión lo insta a tomar este capítulo?

¿En qué le beneficia y qué cambios trae para su futuro y para su ministerio todo lo que ha aprendido?

Enumere algunas de los disposiciones que realizará en base a todo lo que acaba de aprender.

a.

b.

c.

Compile cada lista de los pasos a seguir de los capítulos anteriores; y basado en ellos, escriba una confesión de fe para su futuro. Después actúe, declarándola todos los días; y verá cómo se cumple en su vida.

KENNETH COPELAND

LA BENDICIÓN DEL SEÑOR

ENRIQUECE
Y NO AÑADE
TRISTEZA
CON ELLA
PROVERBIOS 10:22

RESPUESTAS

CAPÍTULO 1

LA BENDICIÓN: El regalo supremo del amor

1. En 1966, en Tulsa, Okla. (pg. 22)

2. Gálatas 3:9, somos bendecidos con el creyente Abraham (pg. 22-23)

3. verdades espirituales, revelaciones bíblicas (pg. 26)

4. Génesis 1:28: *«Fructificad y multiplicaos; llenad la tierra, y sojuzgadla, y señoread...»* (pg. 30)

CAPÍTULO 2

Lo único que el pecado no pudo cambiar

1. Dios (pg. 36)

2. plan original; Genesis 1:1-3 (pg. 37)

3. Dios es amor; 1 Juan 4:8 (pg. 38)

4. lleno de compasión; Salmos 78:38, 111:4 (pg. 38)

5. Luz. (pg. 44)

6. Sí mismo; Sí mismo (pg. 48)

7. perfectamente; imagen (pg. 49)

8. imagen interna (pg. 49)

9. dominio; amor; Amor; dependiente; doble. (pg. 53)

10. espíritu; imagen (pg. 53)

11. BENDICIÓN (pg. 54)

CAPÍTULO 3

El proyecto Edén: Llenando la Tierra con la gloria de Dios

1. bendición (pg. 55)

2. bendecir; maldición (pg. 56)

3. bueno; Dios (pg. 57)

4. le otorga el derecho a prosperar; poder creativo (pg. 57)

5. aumentar; Llenad la tierra; bondad. (pg. 58)

6. empecé (pg. 58)

7. proyecto familiar (pg. 59)

8. la autoridad (pg. 61)

9. Gran Comisión; Espíritu Santo (pg. 62)

10. responsabilidad; recursos (pg. 63)

11. LA BENDICIÓN; la PALABRA (pg. 67)

12. Tierra (pg. 70)

CAPÍTULO 4

El día que la luz se apagó

1. pecado (pg. 74)

2. cuidaran; guardaran (pg. 76)

3. relación (pg. 76)

4. fruto; Fuente (pg. 76)

5. diezmo; primicias (pg. 76)

6. Adán (pg. 76-77)

7. En el huerto de Edén (pg. 76)

8. Su imagen (pg. 81-82)

9. arrepentido; responsabilidad; vergüenza (pg. 84)

10. amado; sacrificarse; castigar; redimirla (pg. 85)

11. contrario (pg. 85)

12. ser humano redimido (pg. 87)

13. pacto de sangre (pg. 90)

14. la línea de la luz (pg. 93)

15. espiritual; físico (pg. 93)

16. nacido de nuevo; fe (pg. 95)

CAPÍTULO 5

Activando el plan B: Inicia la restauración

1. relaciones de pacto; linaje (pg. 97)

2. restaurar Su dominio; defendía (pg. 98-99)

3. sean BENDITOS (pg. 102)

4. Sem; Cam; Jafet (pg. 103)

5. Sem; Abram (pg. 103)

6. Adán; prosperara; sobresaliera (pg. 104)

7. BENDITAS; incidentes independientes (pg. 104)

8. Melquisedec (pg. 112)

9. Abraham; mundo (pg. 112-113)

10. Jesús; Sem; Jesús; diezmos; diezmo (pg. 114)

CAPÍTULO 6

Rastreando el linaje de LA BENDICIÓN

1. LA BENDICIÓN; Isaac; 100 (pg. 119)

2. herencia de fe; usted (pg. 122)

3. revelación (pg. 123)

4. pacto de Dios jurado con sangre; sanaré; prosperaré; huerto de Edén; LA BENDICIÓN (pg. 124)

5. Jacob; Esaú; Adán (pg. 125)

6. Jacob; diezmo (pg. 126)

7. Labán; LA BENDICIÓN (pg. 126)

8. fe (pg. 128)

CAPÍTULO 7

Diez Mandamientos de amor: Enseñándoles a los israelitas a vivir conforme a LA BENDICIÓN

1. látigos; Abraham; Isaac; Jacob; pacto (pg. 144)

2. Les afirmaba que Él era el único Dios que necesitarían en su vida (pg. 145)

3. amor; amor (pg. 146)

4. huerto de Edén; leche; miel (pg. 147-148)

5. Abraham; LA BENDICIÓN; Deuteronomio 28 (pg. 150-151)

6. fe; israelitas (pg. 158)

7. Gálatas 3:13-14 (pg. 159-160)

8. Shreveport, Louisiana (pg. 160-161)

9. se quedó con sus padres (pg. 160-161)

10. alabado sea Dios (pg. 161)

11. fe; batalla (pg. 161)

CAPÍTULO 8

El día que todo el cielo estalló en gozo

1. semana; 4 días (4,000 años) (pg. 165)

2. remanente (pg. 166)

3. Espíritu Santo; Jesús (pg. 168-169)

4. LA BENDICIÓN; Jesús (pg. 170)

5. LA BENDICIÓN; no son; fueran (pg. 170-171)

6. milagro (pg. 171)

7. río; creían; incredulidad (pg. 176)

8. poder (pg. 178)

CAPÍTULO 9

De la Cruz a Su trono

1. primogénito; linaje (pg. 182)

2. precio; LA BENDICIÓN (pg. 184)

3. hombre (pg. 191)

4. Campeón; campeones (pg. 191)

5. Nuevo Pacto; redención; Enviar al Espíritu Santo (pg. 193)

6. Viento recio; el grito de los ángeles y el sonido de LA BENDICIÓN saliendo a escena (pg. 193-194)

7. la PALABRA; LA BENDICIÓN (pg. 196)

8. creyente (pg. 197)

CAPÍTULO 10

Una raza nacida de nuevo

1. influenciados (pg. 202)
2. nueva criatura; nueva criatura (pg. 203)
3. justicia (pg. 204)
4. corazón (pg. 204-205)
5. transformados (pg. 205)
6. PALABRA; espiritualmente (pg. 206)
7. Dios; Dios; Adán (pg. 207)
8. nosotros (pg. 207)
9. ADN; genética (pg. 207)
10. conciencia de justicia (pg. 209)
11. errores; Él realizó muchas cosas que se convirtieron en errores, pero jamás se levantó en la mañana diciendo: "Creo que cometeré algunos errores hoy". (pg. 209-210)
12. hayas; redimido; condenación; errores; redimido (pg. 210)
13. meditando; LA BENDICIÓN (pg. 211)
14. fe; huerto de Edén (pg. 212)
15. Él (pg. 215)
16. nuestra; herederos; huerto (pg. 216-217)
17. Jesús; reposo (pg. 217-218)
18. huerto de Edén; evangelio; abierto (pg. 218)
19. ustedes; ustedes; ustedes; ustedes; Yo (pg. 220)

CAPÍTULO 11

El SEÑOR y el Sumo Sacerdote de LA BENDICIÓN

1. Sumo Sacerdote (pg. 225)

2. perdón; pureza (pg. 225-226)

3. señorío; sacerdocio (pg. 229)

4. el Ungido; Su unción; Victorioso; Campeón; Rey conquistador (pg. 229-230)

5. delegó (pg. 231)

6. PALABRA; firme en fe (pg. 232-233)

7. Génesis; Hebreos; diezmando (pg. 240)

8. fe (pg. 240)

9. sangre; un pacto (pg. 241)

10. anclarse (pg. 242)

11. difícil (pg. 249)

CAPÍTULO 12

Siguiendo la fe de Abraham

1. nacimos de nuevo (pg. 253)
2. coherederos (pg. 254)
3. sin fe (pg. 254)
4. familia (pg. 256)
5. creer en Él (pg. 261)
6. PALABRA de Dios; estilo de vida (pg. 261)
7. manual del Hacedor (pg. 262)
8. la PALABRA; autoridad final (pg. 263)
9. prestarle atención (pg. 263)
10. edificación (pg. 264-265)
11. obrará; semilla (pg. 265)
12. espíritu; fe (pg. 266-267)
13. palabras (pg. 267-268)
14. confesar; palabras de fe; actuar (pg. 272-273)
15. imitadores; remedar (pg. 271)
16. 2 Reyes 4; la mujer sunamita (pg. 272-273)
17. creyó (pg. 273-274)
18. la entrega; una declaración de fe; victoria (pg. 276-277)
19. fe (pg. 279)
20. 10 años (pg. 280-281)
21. la esperanza; la fe (pg. 287)

CAPÍTULO 13

Rompiendo la conexión con el temor

1. tolerar; contamina (pg. 292)
2. fe (pg. 295-296)
3. maldición (pg. 296)
4. unción (pg. 297-298)
5. fe en Jesús; temor (pg. 298, 303)
6. el poder del amor (pg. 306)
7. somos amados por Dios (pg. 306)
8. correcta; la PALABRA (pg. 313)

CAPÍTULO 14

La ley real del Reino

1. amor (pg. 321)
2. LA BENDICIÓN (pg. 323)
3. nervios; células (pg. 326)
4. paz (pg. 340)
5. Perdonar (pg. 346)
6. Dios; activar; amor; mandamiento de amor (pg. 350)
7. tiempo con el SEÑOR; diario (pg. 352)
8. pacto (pg. 353)
9. huerto de Edén; riqueza (pg. 355)

CAPÍTULO 15

Ven, y siéntate conmigo

1. nosotros (pg. 361-362)

2. Hebreos (pg. 361)

3. LA BENDICIÓN (pg. 381)

4. la PALABRA; ¡La fe habla! (pg. 386)

5. LA BENDICIÓN; Abraham; Cristo Jesús (pg. 391-392)

CPSIA information can be obtained at www.ICGtesting.com
Printed in the USA
LVOW022044081211
?58519LV00002B/1/P